Y0-BYF-562

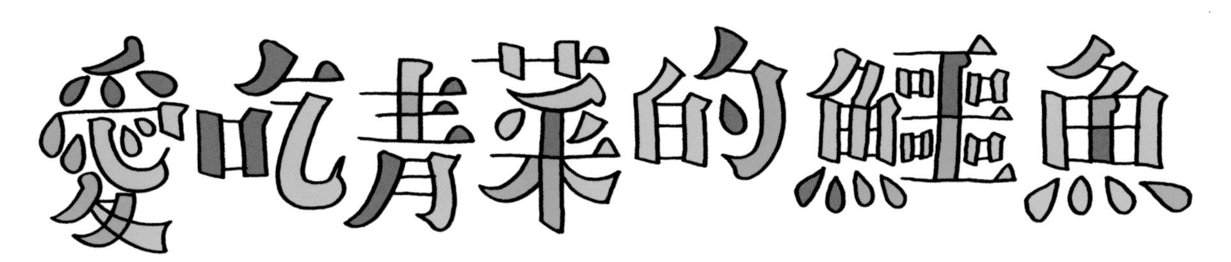

文・圖／湯姆牛

審稿／馬偕醫院營養師 廖嘉音

有一個農夫，每天都到田裡工作。

有一天，他在河裡發現一隻小鱷魚……

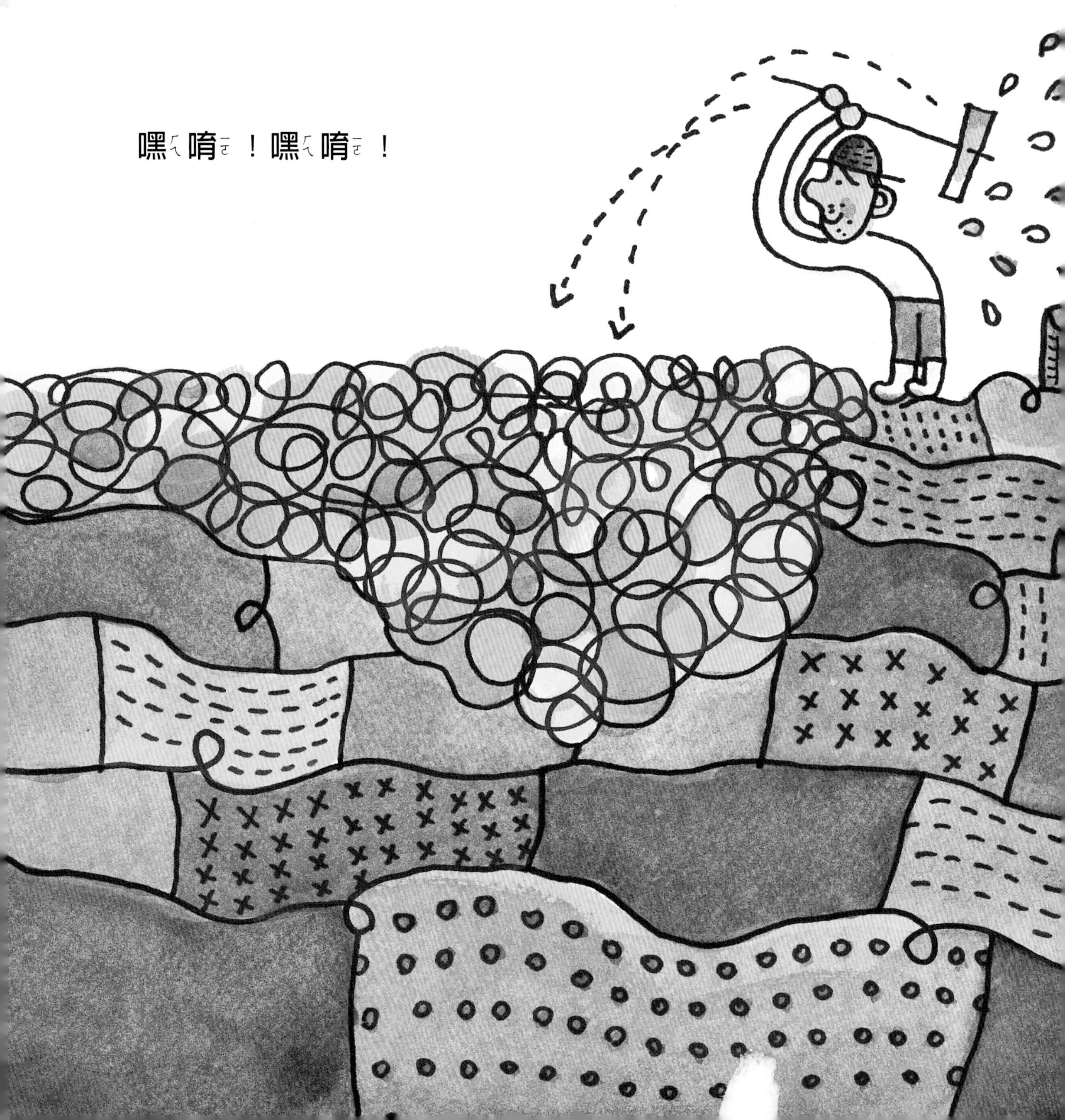
嘿ㄏㄟ唷ㄧㄛ！嘿ㄏㄟ唷ㄧㄛ！

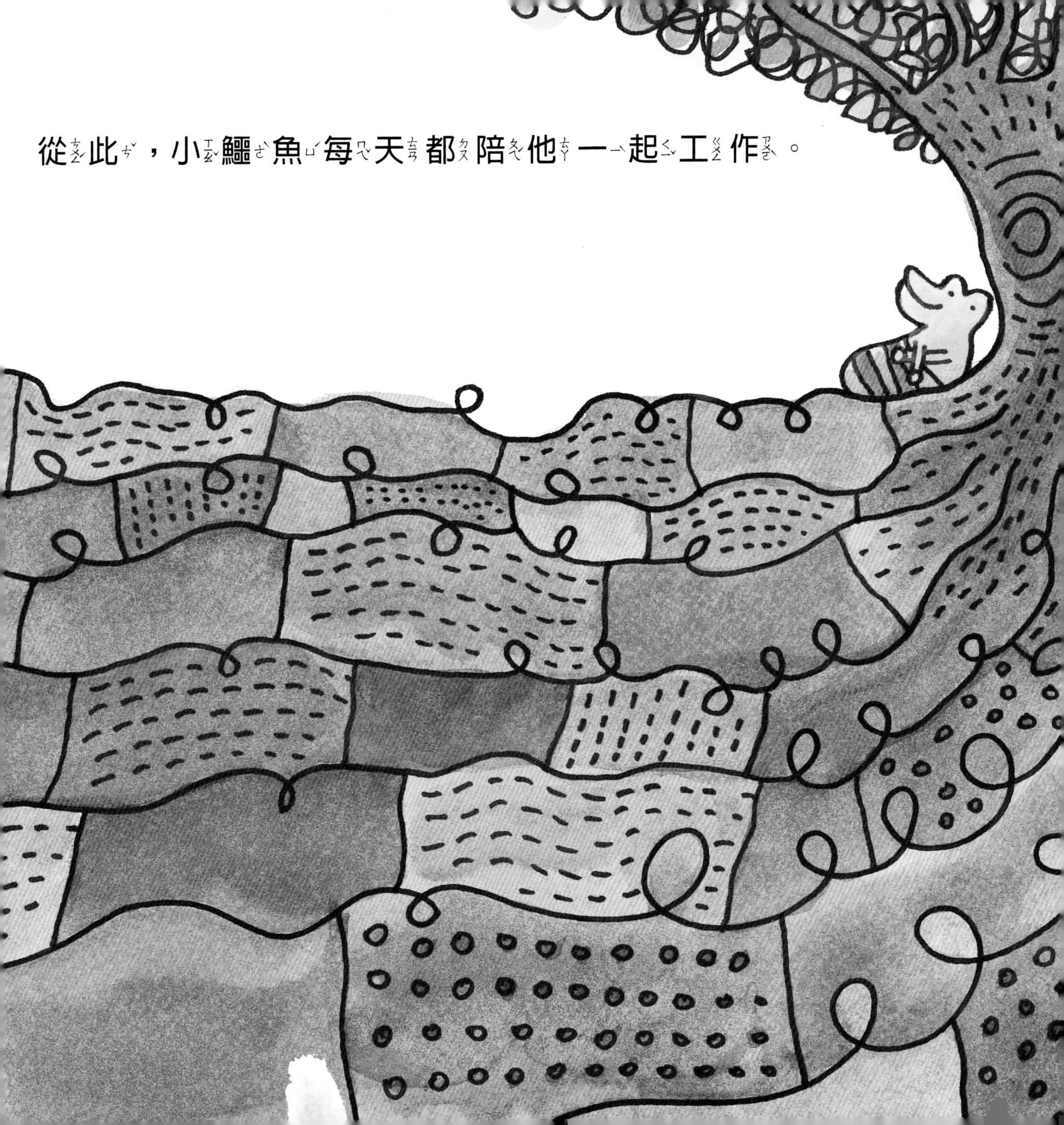

從此，小鱷魚每天都陪他一起工作。

日子一天天的過去，
小鱷魚漸漸長大了。

田裡硬梆梆的土壤，也被掘得鬆鬆軟軟的了。

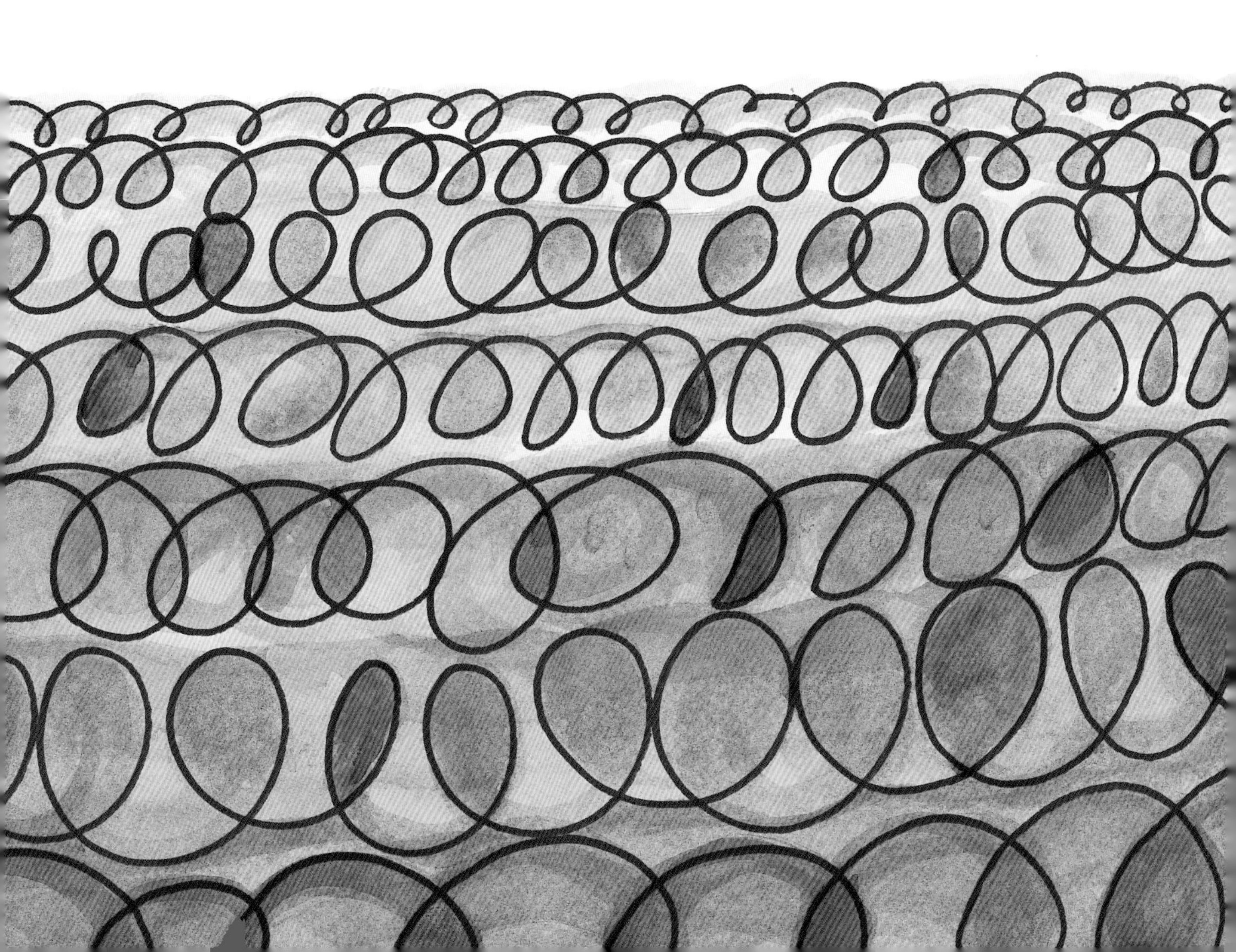

可以播種了，

農夫在田裡播下各式各樣青菜的種子。

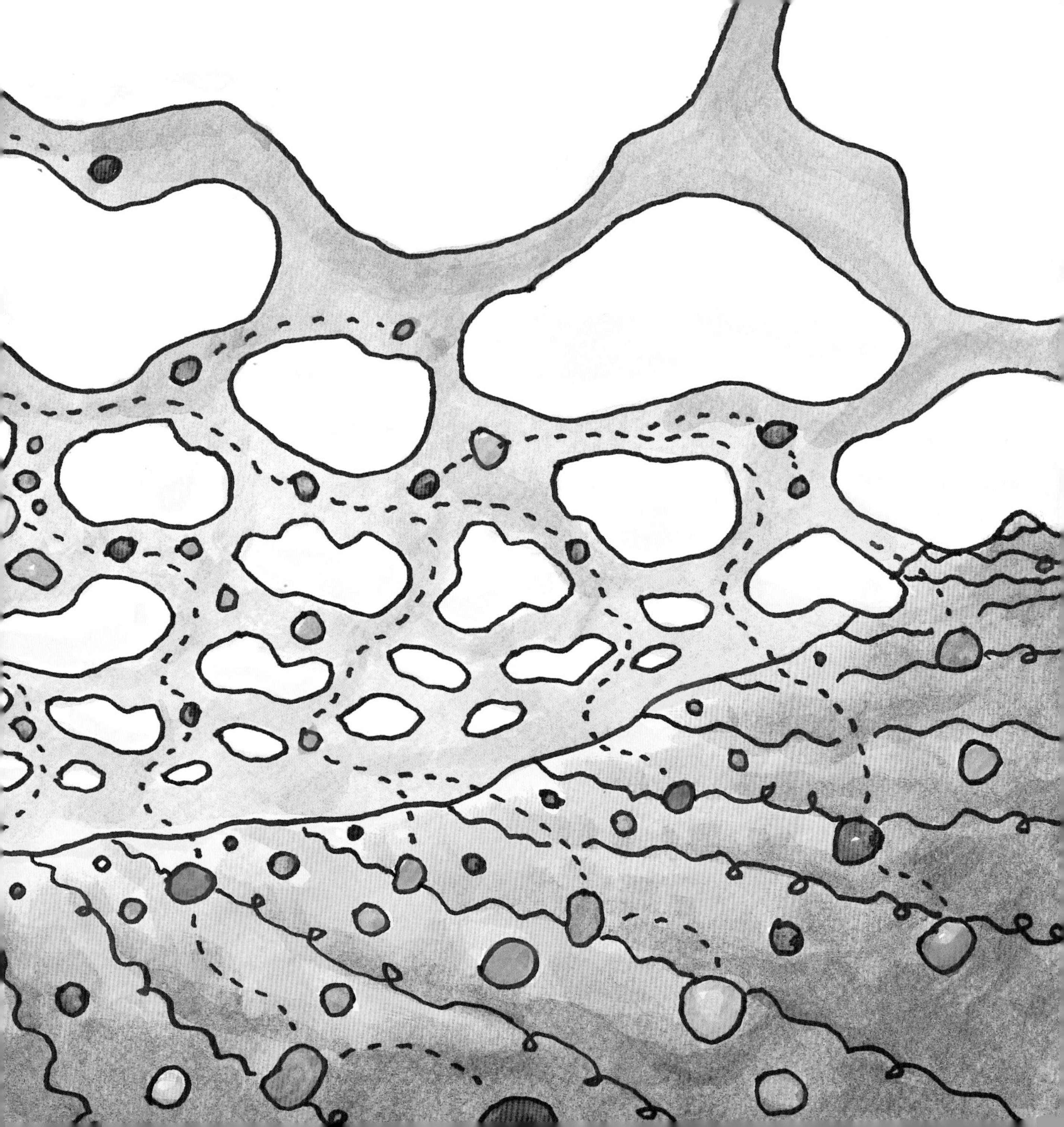

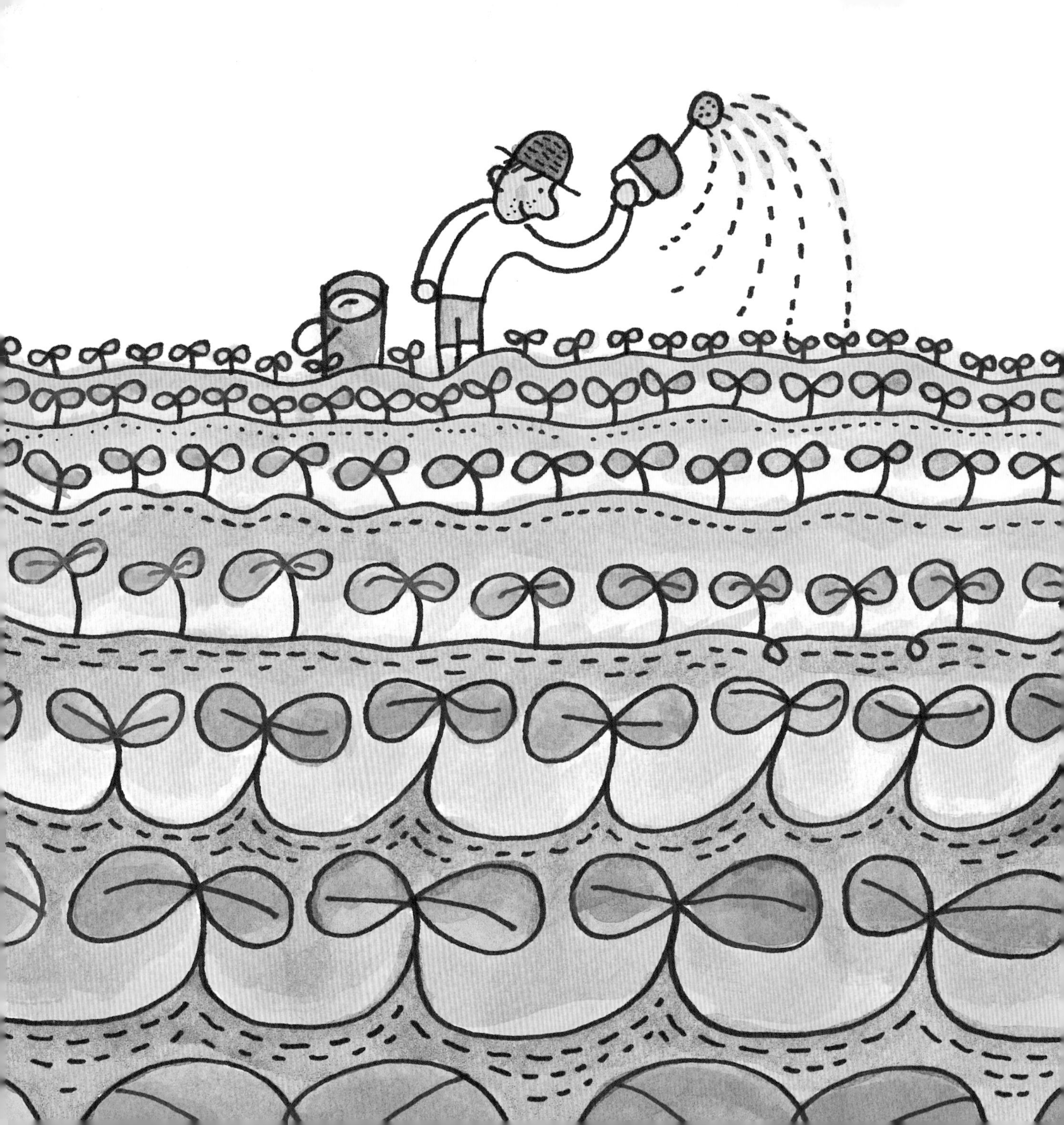

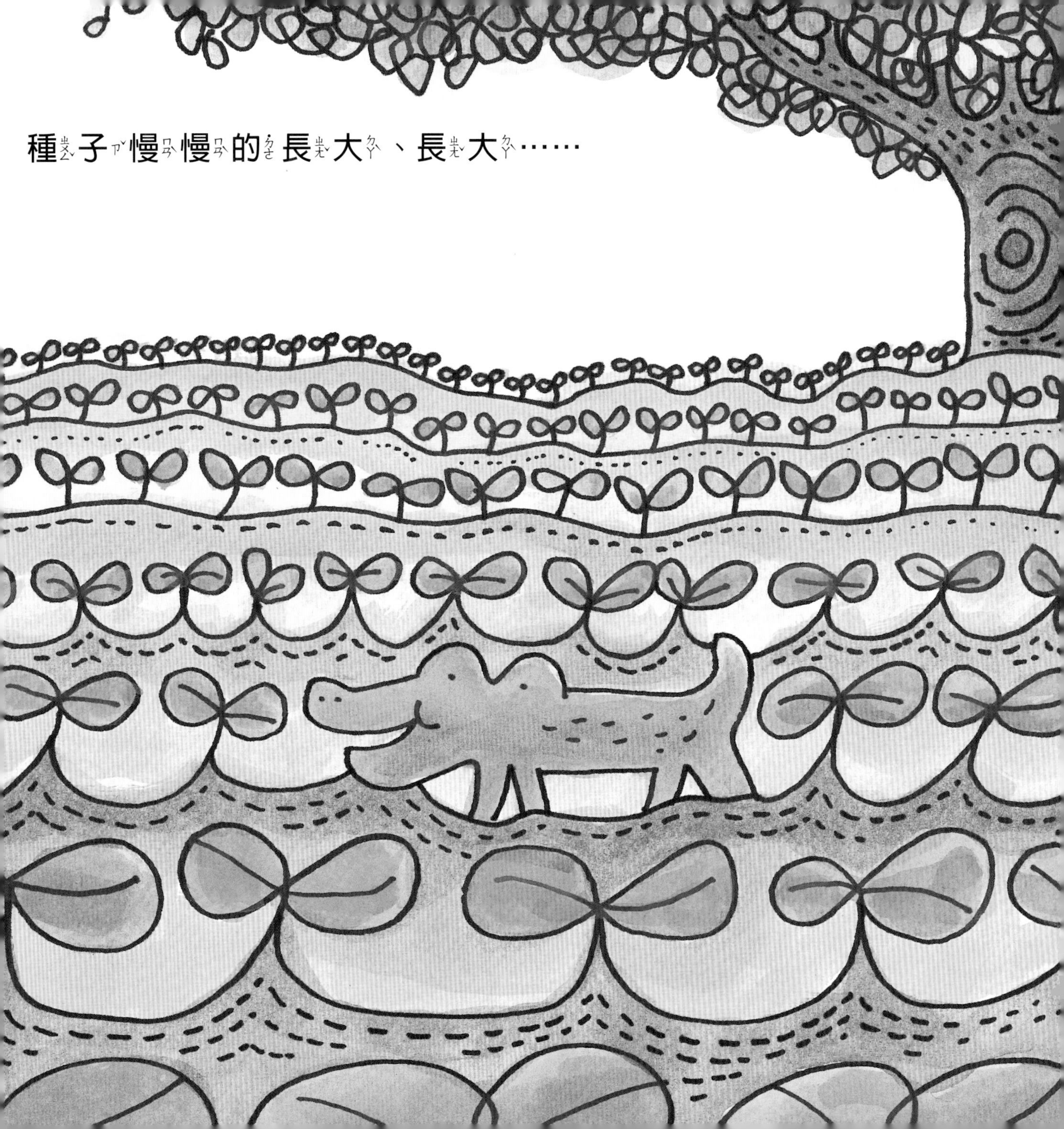
種子慢慢的長大、長大……

愈長愈大。

農夫每天都摘各種好吃的青菜，給小鱷魚吃

有時候是青江菜。

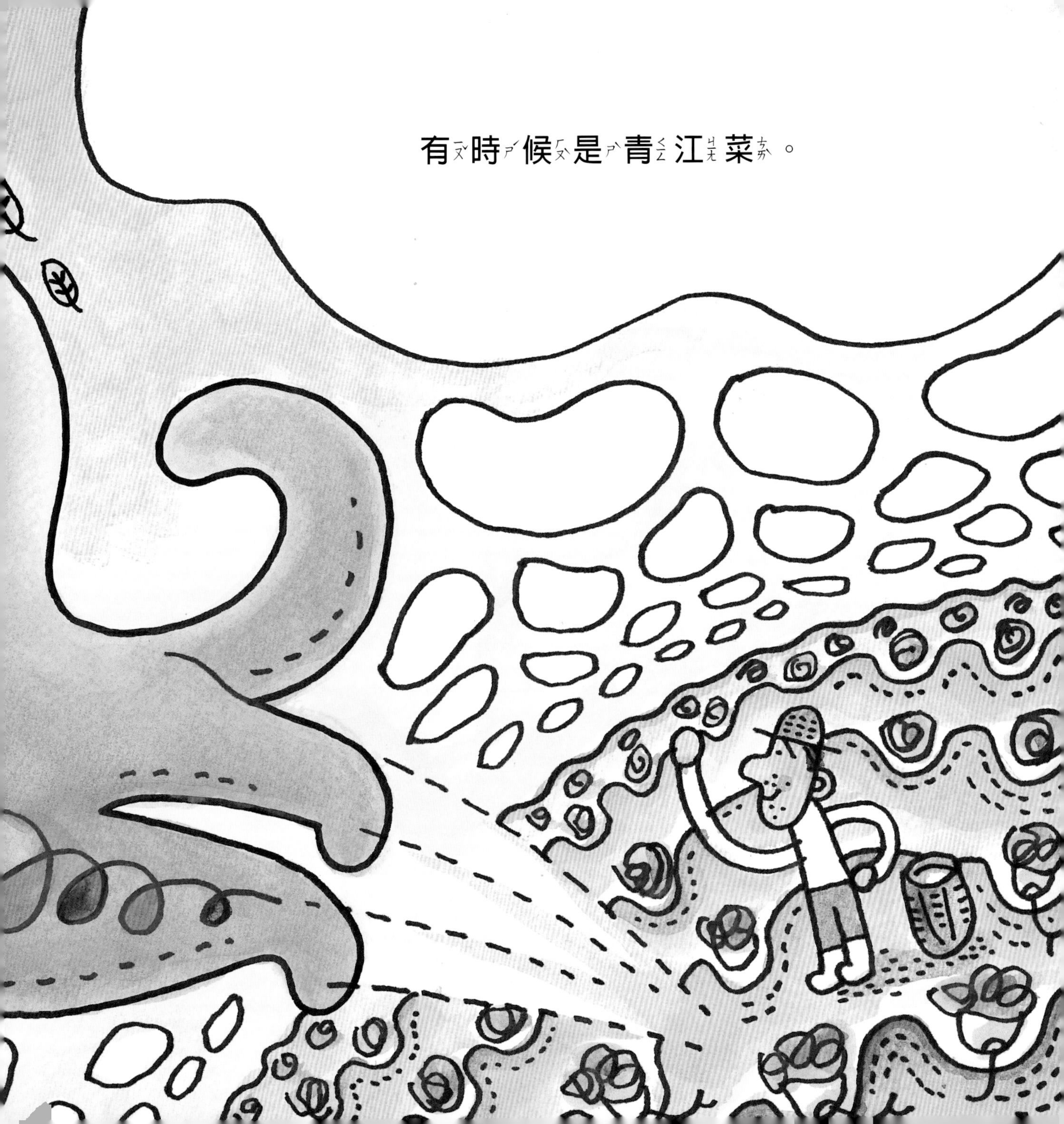

有時候是大頭菜。

喀ㄎㄚ滋ㄗ！喀ㄎㄚ滋ㄗ！喀ㄎㄚ滋ㄗ！

還有好吃的高麗菜。

有一天，

村子裡來了一位醫生，幫大家檢查身體。

有的人肚子發出咕嚕咕嚕的怪聲，

有的小朋友便便大不出來！

只有小鱷魚的肚子裡沒有脹脹的，

也沒有怪聲音！

原來是小鱷魚愛吃青菜，

肚子裡有很多綠色小精靈，把壞細菌趕光光了！

吃青菜有這麼大的好處，大家都來吃青菜！

隔壁的張媽媽，

也煮了空心菜、絲瓜和青菜豆腐湯。

所有的媽媽，都煮了香噴噴的青菜給家人吃。

吃了青菜的小朋友，
作夢都夢到自己變成強壯的
綠色小超人……

第十五屆信誼幼兒文學獎

插畫推薦獎

《愛吃青菜的鱷魚》評審的話

鄭明進（資深兒童美術教育工作者）

對成長中的幼兒來說，他們都擁有一顆純樸又好奇的心，所以在他們心目中，所有大大小小的動物、植物或是身邊的事事物物，都可以當他們的好朋友。

《愛吃青菜的鱷魚》這本書裡的鱷魚，不也是變成書中主角農夫的好朋友了嗎？

作者在這本書裡充分發揮了他美術創作的本領！

◆活用了彎彎曲曲的靈活線條畫出了山巒、田地及活生生的蔬菜和美麗的田園風光。

◆對於人物和鱷魚的造型，有如幼兒畫中的天真造型。幽默的動作、純樸的表情，給人親切又富童趣感。

◆尤其在色彩的運用方面，把草綠色的明亮感，表現在層層山巒、一片片的菜苗、成長的各種蔬菜，表現出田野及蔬菜欣欣向榮的生命力來。

◆更在畫面的構成方面也活用了線條的走向、形的重複出現、誇張的手法表現出具有下列美感的特色來：

例如從重複曲線表現出寬廣的一大片田地、軟綿綿的土地、一片片綠油油的幼苗、好大好大的各種蔬菜，真是亮眼呀！再看描繪——長成好大的鱷魚及背上的農夫。不只是農夫圍著五彩的圍巾，也幫大鱷魚繫上五彩的圍巾，套上五彩的手套，穿上五彩的襪子，構成一幅奇麗無比的耀眼畫面！

最後綠色小精靈飛上天、和細菌作戰的畫面更是精采。在夢中，小朋友變成了強壯的綠色小超人，個個身披披風，在夜空中遨遊飛翔！意氣風發的雄姿，一定會在小讀者的腦海中留下深刻的印象，從而也變成了他們的夢想。

作者

湯姆牛

- 1966年7月30日
- 喜歡吃生菜沙拉
  不喜歡吃起士蛋糕
- 愛洗澡，不愛刮鬍
  愛睡覺、不愛起床
- 從事廣告設計工作
  最近對兒童的想像
  特別感興趣。
- 希望繼續推出
  愛吃……的
  系列圖

給爸爸媽媽的話

蔬菜含豐富的維生素及礦物質，而且顏色愈深營養成分愈高，所以多吃綠色蔬菜能防癌、抗老化、預防心臟血管疾病、減肥及促進腸胃的蠕動，預防便秘的發生，更有助於體內有毒物質排除等，有好多好多的益處。然而對小朋友來說，「好玩」「好吃」「有趣」遠比「健康」「膽固醇」「防癌」等來的重要。試著將這如外星人分泌物般的綠色物質，讓平常不愛吃青菜的小朋友能大口大口的嘗試，好像不是一件容易的事。故事的趣味便是以小孩的觀點切入，卻又不失科學根據，這又是一大難題。是否因此很少有關於介紹綠色蔬菜的圖畫書，而兒童小百科倒是不少。

前陣子休假到台東鄉下玩，從小在都市長大的我，還第一次看到那麼大片的菜園。各式各樣活生生的蔬菜，一株株的從黃澄澄的土壤中長出，看得我有種莫名的感動。更巧的是認識了一位農夫才剛退伍，和父母共同負責河床邊大約二十多個籃球場大的菜園。他很羨慕都市生活，其實又有多少在都市打拼的上班族，想要回歸田園生活！

上本「愛吃水果的牛」完成後就一直想出續集，現在愛吃青菜的主題有了，那動物的主角該是誰呢？小貓、小狗、大象、小馬、小豬、猴子這些動物如果是綠色的，都好像外星品種般怪怪的。只有鱷魚綠色的最順眼了（鱷魚：「湯姆牛用我當主角有點勉強喔？」）於是綠色的鱷魚就順著小溪流到主人的懷中，愛吃青菜，慢慢長大……

希望大人、小朋友看完這本書以後，也能像綠色鱷魚般那麼愛吃青菜，愛上那綠綠的顏色，愛上那略帶苦澀的味道，愛上那甘甜的口感。有些吃菜的根、有些吃菜的莖、也有莖葉一起吃的。每天都愛吃青菜，有一天你的身體也會愛上你。

愛吃青菜的鱷魚

文・圖／湯姆牛　審稿／廖嘉音
總編輯／高明美　執行編輯／林小昭　美術編輯／劉蔚君　生產管理／王彥森
發行人／張杏如　出版／信誼基金出版社　總代理／上誼文化實業股份有限公司
地址／台北市重慶南路二段75號　電話／(02)23913384(代表號)　定價／250元
劃撥／10424361　上誼文化實業股份有限公司　網址／http://www.hsin-yi.org.tw
2003年4月初版　2014年1月初版十九刷　ISBN／957-642-828-9
印刷／中華彩色印刷股份有限公司

讀者服務／信誼・奇蜜親子網 www.kimy.com.tw

The Alligator Who Loved His Vegetables

Originally published in 2003 by Hsin Yi Publications, Taipei, Taiwan, R.O.C

Summary

A farmer finds a cute baby alligator who doesn't have a family. He decides to raise it on his own. The alligator grows big and strong and loves to eat his vegetables. One day everyone gets sick in the village except the alligator because eating vegetables has made him so healthy and resistant to disease. He becomes a role model for the boys and girls.